Textos
SÉBASTIEN PEREZ

Ilustraciones
BENJAMIN LACOMBE

LOS SUPERHÉROES ODIAN LAS ALCACHOFAS

EDELVIVES

I WANT YOU
TO BE A SUPERHERO
NEAREST RECRUITING STATION

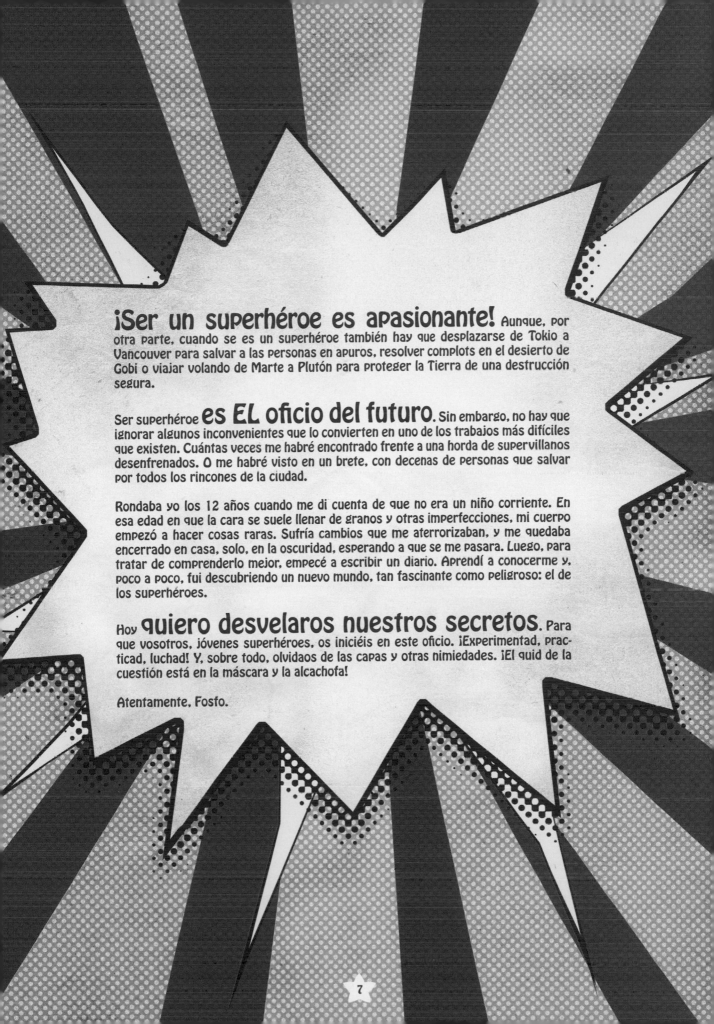

¡Ser un superhéroe es apasionante! Aunque, por otra parte, cuando se es un superhéroe también hay que desplazarse de Tokio a Vancouver para salvar a las personas en apuros, resolver complots en el desierto de Gobi o viajar volando de Marte a Plutón para proteger la Tierra de una destrucción segura.

Ser superhéroe **es EL oficio del futuro.** Sin embargo, no hay que ignorar algunos inconvenientes que lo convierten en uno de los trabajos más difíciles que existen. Cuántas veces me habré encontrado frente a una horda de supervillanos desenfrenados. O me habré visto en un brete, con decenas de personas que salvar por todos los rincones de la ciudad.

Rondaba yo los 12 años cuando me di cuenta de que no era un niño corriente. En esa edad en que la cara se suele llenar de granos y otras imperfecciones, mi cuerpo empezó a hacer cosas raras. Sufría cambios que me aterrorizaban, y me quedaba encerrado en casa, solo, en la oscuridad, esperando a que se me pasara. Luego, para tratar de comprenderlo mejor, empecé a escribir un diario. Aprendí a conocerme y, poco a poco, fui descubriendo un nuevo mundo, tan fascinante como peligroso: el de los superhéroes.

Hoy **quiero desvelaros nuestros secretos.** Para que vosotros, jóvenes superhéroes, os iniciéis en este oficio. ¡Experimentad, practicad, luchad! Y, sobre todo, olvidaos de las capas y otras nimiedades. ¡El quid de la cuestión está en la máscara y la alcachofa!

Atentamente, Fosfo.

EL SUPERHÉROE en 12 puntos

SEDUCTOR

Es difícil resistirse al guiño devastador de un superhéroe. El superhéroe es súper y lo sabe.

INCORRUPTIBLE

El superhéroe preferirá dormir en la calle antes que venderse por unas simples sábanas de raso. El dinero no es una prioridad para él. ¡Nada lo apartará de su destino!

CON SUPERPODERES

Aunque el superhéroe casi siempre ha nacido con un don fuera de lo común, ser superhéroe es, antes que ninguna otra cosa, una actitud.

PROVIDENCIAL

El superhéroe puede presumir de ser extraordinario. Es el que interviene cuando ya nadie puede hacer nada.

CARITATIVO

La caridad bien entendida empieza por uno mismo. Solo que este refrán no se cumple en el caso del superhéroe, que vive entregado en traje y alma a las buenas causas.

PRUDENTE

No le pidáis a un superhéroe que se quite la máscara porque no lo hará. De su identidad secreta dependen su seguridad y la de los que lo rodean.

EXCEPCIONAL

El índice de superheroicidad es bajo. Hoy en día, los superhéroes representan solo un 0.00004% de la población mundial.

SIN MIEDO

Un día se enfrenta a una banda entera de gánsteres y, al siguiente, está sosteniendo un avión averiado en pleno vuelo. Nada le da miedo jamás, excepto causar decepción.

GENEROSO

Aunque tenga el tiempo contado, el superhéroe otorga una gran importancia a la firma de autógrafos después de cada proeza.

DE UTILIDAD PÚBLICA

Todos los años se registran, en promedio, más de 9000 vidas salvadas y 280000 atracos frustrados por los superhéroes.

ORGULLOSO

Su valor solo es comparable a su ego. Conviene darle la enhorabuena con cada victoria, pues de ese modo el superhéroe será más eficaz.

DECIDIDO

Su lema es: «Proteger y salvar, y el peligro ignorar».

The Daily Gazette

VOL. CXXI. N.º 41 999   METRÓPOLIS, VIERNES 20 DE AGOSTO DE 1988   50 CÉNTIMOS

Cielo despejado y cálido. Muy soleado mañana y este fin de semana en general. Predicción del tiempo en la pág. 12.

DE PROFESIÓN
SUPERHÉROE

Veloz. Foto de P. Parker para The Daily Gazette

VELOZ, SUPERHÉROE SUPERRÁPIDO DESDE HACE VEINTE AÑOS:

«No me veía ejerciendo otro oficio. Cuando llevaba pañales ya tumbaba a los gamberros de los areneros en el parque. Nunca he soportado que nadie se meta con los más débiles, de modo que, como es natural, me convertí en superhéroe. Pero resultaba difícil llegar a fin de mes y por eso, para seguir ejerciendo mi pasión, acepté un trabajo a tiempo parcial: repartidor. ¡Puedo entregar una pizza sin que se enfríe ni un grado!».

ARTÍCULO COMPLETO EN LA PÁGINA 4

CÉFALO, ANTIGUO AGENTE DE BOLSA, DESDE HACE CINCO AÑOS ES UN SUPERHÉROE DOTADO DE SUPERCEREBRO:

«Es obvio que mi tren de vida ha decaído considerablemente. Adiós al *loft* en la Quinta Avenida y a los cochazos. Ahora que he cambiado mi traje de chaqueta y corbata por un traje ajustado, me dedico a salvar vidas en vez de a jugar con el dinero. Lo que más me importa es que no se me suba a la cabeza».

DIENTE DE TIGRE, SUPERHÉROE JUBILADO:

«¡Cómo lo echo de menos! Ese subidón de adrenalina ante un peligro y el orgullo del trabajo bien hecho. ¡Qué rugidos pegaba y cómo repartía dentelladas de superpiños a quienes no respetaban la ley! Pero eso fue hace mucho tiempo. A mi edad, ¿para qué podría yo servir? ¿Para morderles el trasero a los supervillanos con mi superdentadura postiza?».

The Daily Gazette

EDICIÓN MATUTINA
Cielo con claros por la tarde, agradable por la mañana. Cambio inesperado el fin de semana. Predicción del tiempo en la pág. 12.

METRÓPOLIS, VIERNES 13 DE FEBRERO DE 1985

OL. CXVIII. N.° 40 721

50 CÉNTIMOS

WATERBERG
SALVADA DE LAS AGUAS

Frizzer helando las inmensas olas durante su heroico rescate de la ciudad, el 4 de octubre de 1935.

AYER, LA CIUDAD DE WATERBERG CELEBRABA EL CINCUENTA ANIVERSARIO DE LA CONTENCIÓN DE LA PRESA DE DOS GARGANTAS QUE ESTUVO A PUNTO DE CEDER DURANTE LA CRECIDA DE 1935.

Durante la ceremonia, Frizzer recibió la medalla al mérito y al agradecimiento eterno de manos del alcalde de la ciudad. El superhéroe había helado el río para evitar que la ciudad quedara totalmente sumergida, y con su acto había salvado a los 425 000 habitantes de una inundación irremediable. Declaró que a él las medallas lo dejaban frío, pero que le encantaba ver los rostros de los nietos de personas que había conocido cincuenta años atrás.

CARTA
DEL
SUPERHÉROE

Establecida en 1937 por la CMSS (Comisión Mundial de Superhéroes Solidarios)

La Carta del Superhéroe define varias reglas sencillas que el superhéroe debe respetar para ser reconocido como tal.

OBLIGACIONES DEL SUPERHÉROE:

Proteger a los civiles y luchar contra la injusticia.

No poner jamás en peligro la vida de terceros.

Ayudar a las fuerzas del orden y respetar las leyes en la medida de lo posible.

Mantenerse disponible en todo momento.

No utilizar sus superpoderes en beneficio propio.

No rendirse jamás.

La inobservancia de estas reglas entraña, simple y llanamente, la pérdida de la condición de superhéroe. Actualmente, son signatarios de la presente Carta 3 124 superhéroes.

TEST: ¿TIENES MADERA DE SUPERHÉROE?

No todo el mundo puede ser un superhéroe. ¡Comprueba si este oficio está hecho a tu medida!

1. Vas caminando por la calle y le roban el bolso a una anciana.

A. Te empieza a hervir la sangre y sales corriendo detrás del agresor.

B. El incidente te deja frío. Te vas a tu clase de bádminton; la raqueta no puede esperar.

C. Aprovechando que la vieja está desorientada, le trincas el broche para regalárselo a tu abuela.

2. Ponen una película de terror en la tele.

A. Te quedas sopa.

B. Te escondes detrás del sofá hasta el final de la película.

C. Le pegas sustos a tu hermana pequeña en las escenas más terroríficas.

3. Para ti, atracar es:

A. Llevar un barco a buen puerto.

B. Darse una comilona.

C. Una buena solución para llegar a fin de mes.

4. Lo que más te enorgullece es:

A. Haber podido evitar un desastre antes de que se produjera.

B. Ser el salvador o la salvadora del mundo.

C. Haber acertado los seis números de la bonoloto.

5. De pequeño, ¿qué hacías la noche de Reyes?

A. Pensabas a quién le ibas a regalar los regalos que te iban a traer.

B. Te morías de impaciencia en la cama hasta el amanecer.

C. Embadurnabas la ventana con un aceite resbaladizo.

6. ¿Cuál de estos superpoderes te parece más útil?

A. Curarte las heridas al instante.

B. Batir la nata a punto de nieve porque te encantan los merengues.

C. Transformar el plomo en oro.

7. Te vas a comer al campo y una hormiga se pasea por el mantel.

A. La ahuyentas antes de que alguien la pise.

B. ¿Y qué?

C. La achicharras con una lupa.

8. ¿Cuál de estos alimentos te da náuseas o mareos?

A. La alcachofa

B. La coliflor

C. El romero

9. Tu abuela te llama para anunciarte que el gato ha desaparecido.

A. Sales raudo a buscarlo.

B. Le dices que le vas a regalar otro.

C. Te alegras y te sacudes los pelos del chaleco.

10. En la playa, ¿construyes castillos de arena?

A. Sí, cada vez más grandes.

B. No, te desanimas porque los paseantes acaban destruyéndolos a patadas.

C. Sí, pero solidificas las torres escondiendo en ellas piedras afiladas.

Si has obtenido una mayoría de A, ya eres un verdadero superhéroe.

Si has obtenido una mayoría de B, todavía te falta un hervor para convertirte en superhéroe.

Si has obtenido una mayoría de C, ten cuidado o te convertirás en un supervillano.

La superheromanía

Las diferentes mitologías están repletas de héroes de todas clases, que guerreaban y se pavoneaban creyéndose que eran dioses. El superhéroe supuestamente moderno, tal y como lo entendemos hoy en día, surgió mucho más recientemente. Hasta donde mi investigación me ha permitido remontarme, el primero que marcó la historia de la superheromanía es Justicia Man (en esa época no se devanaban los sesos buscando sobrenombres). Llegó a ser toda una leyenda, y todo el mundo conoce su primera hazaña.

SUPERHEROMANIA

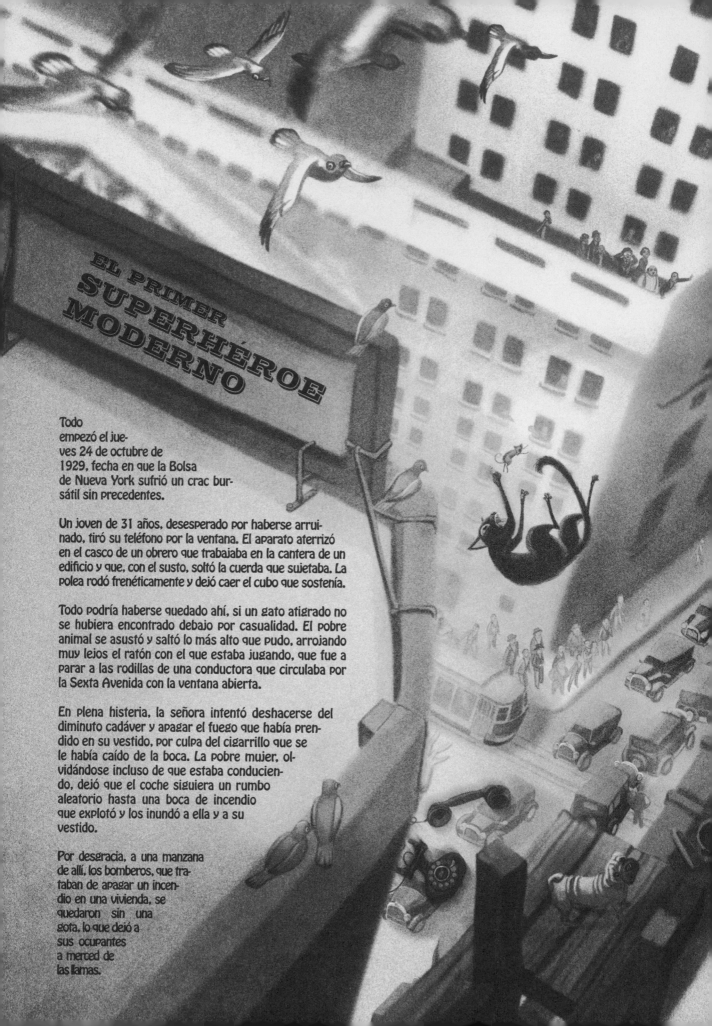

EL PRIMER SUPERHÉROE MODERNO

Todo empezó el jueves 24 de octubre de 1929, fecha en que la Bolsa de Nueva York sufrió un crac bursátil sin precedentes.

Un joven de 31 años, desesperado por haberse arruinado, tiró su teléfono por la ventana. El aparato aterrizó en el casco de un obrero que trabajaba en la cantera de un edificio y que, con el susto, soltó la cuerda que sujetaba. La polea rodó frenéticamente y dejó caer el cubo que sostenía.

Todo podría haberse quedado ahí, si un gato atigrado no se hubiera encontrado debajo por casualidad. El pobre animal se asustó y saltó lo más alto que pudo, arrojando muy lejos el ratón con el que estaba jugando, que fue a parar a las rodillas de una conductora que circulaba por la Sexta Avenida con la ventana abierta.

En plena histeria, la señora intentó deshacerse del diminuto cadáver y apagar el fuego que había prendido en su vestido, por culpa del cigarrillo que se le había caído de la boca. La pobre mujer, olvidándose incluso de que estaba conduciendo, dejó que el coche siguiera un rumbo aleatorio hasta una boca de incendio que explotó y los inundó a ella y a su vestido.

Por desgracia, a una manzana de allí, los bomberos, que trataban de apagar un incendio en una vivienda, se quedaron sin una gota, lo que dejó a sus ocupantes a merced de las llamas.

¡Fue entonces cuando Justicia Man surgió de la nada! Ordenó a los bomberos que le dejaran paso, y luego, con sus superpulmones, tomó una superinspiración que dejó al fuego sin oxígeno. Los supervivientes y los espectadores, perplejos, no supieron reaccionar, y el superhéroe se alejó sin pedir cuentas a nadie. Cuando se recuperaron del susto, los medios de comunicación divulgaron su hazaña y aclamaron a Justicia Man.

Ese fue el comienzo de su fama. Su larga carrera duró hasta 1967, año en el que ya tenía acumulados cerca de 5 672 rescates. Justicia Man había allanado el camino y creado verdaderas vocaciones.

Extracto de diario — 15 de marzo de 1989

... Siempre me he preguntado cómo se las apañaba Shoopy para estar presente cada vez que necesitaba su ayuda. Hoy por fin lo he comprendido, cuando ha desaparecido delante de mis narices. Yo ya sabía que era un perro extraordinario, pero cómo me iba a imaginar que podía teletransportarse...

Se ha esfumado y, en su sitio, se ha esparcido un humo oscuro con olor a gulasch. Me he puesto a buscarlo en el jardín y luego dentro de casa, pero no quedaba ni rastro de él. Al principio, me he vuelto loco de preocupación. Me imaginaba que lo habían raptado o que se había desintegrado.

Luego, mi hermano ha asomado por la puerta de casa con la manga de la chaqueta arrancada y un ojo morado. Shoopy iba detrás de él como un guardaespaldas, con porte altivo y la cabeza erguida. Y entonces lo he comprendido. Acababa de sacar a su joven amo de un atolladero teletransportándose hasta él.

Durante varios minutos, he intentado hablar con Shoopy, pensando que, después de todo, a lo mejor tenía ese don. Pero nada; se ha quedado mudo, dándome lametazos en las manos. Mi hermano me ha explicado que Shoopy ha aparecido de la nada y se ha abalanzado sobre las pantorrillas de Rubén y Fran, los dos cenutrios del instituto, que lo estaban acosando. Al parecer, se han llevado el susto de su vida.

Yo creía que mi hermano era como yo. Que él también tenía un superpoder pero no se atrevía a hablar de él. Esta aventura me demuestra que no es así, pues, de lo contrario, se habría merendado a sus asaltantes. Al final, el único diferente soy yo.

P. D.: Tengo que acordarme de ajustar cuentas con R y F.

LOS SUPER ANIMALES

LISBETH

Lisbeth posee un superencanto que la ayuda a engatusar a los supervillanos más espeluznantes.

TANUKI-SAN

Tanuki-San domina a la perfección el arte de la metamorfosis en seres animados o en objetos.

NEVERLATE

Para esta supermascota es imposible llegar tarde: Neverlate es capaz de detener el tiempo.

VIRGILE

Gracias a su supercerebro y a su cociente intelectual de 452, Virgile es un excelente telépata.

CHIPICHOP

Cuando Chipichop se llenaba la boca de avellanas, era un supertirador que jamás fallaba un blanco.

PEGÁS

Con sus crines y sus cascos de fuego, Pegás es una supermontura intergaláctica.

Los animales también...

La superheromanía no afecta solo a los humanos. Algunos animales son propensos a los superpoderes.

Aunque se dan muy pocos casos, algunos superperros y supergatos participan en las superaventuras de sus amos.

MISTER FOX

El increíble Mister Fox protegía maravillosamente el bosque gracias a su increíble superpoder de ilusionismo.

BALL

Ball salía disparado a una velocidad supersónica y arremetía contra la barriga de todo aquel que atacara a sus congéneres.

BIRDY

Un pájaro solamente sabe volar. Birdy, en cambio, posee un pico de acero capaz de atravesar los más sólidos blindajes.

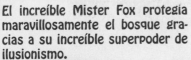

WOLFGANG

Wolfgang tenía el superpoder muy especial de transformarse en hombre durante el día.

AUGUR

Los que hablan la lengua de los búhos saben que no hay nada más fiable que las predicciones de Augur.

BLACKY

Blacky, dotado del don de la ubicuidad, acompañó a las brujas más poderosas.

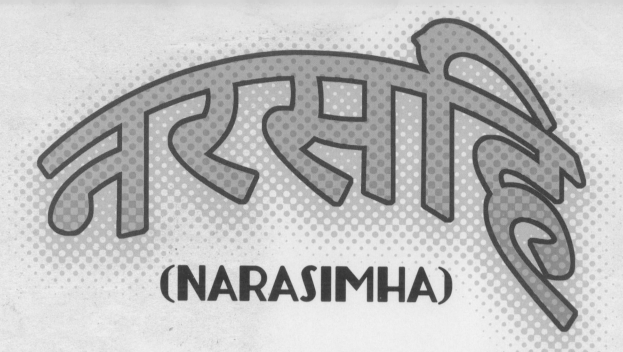

(NARASIMHA)

Nara nació en un día muy especial, lleno de color. En las calles de Bombay, los transeúntes, vestidos de blanco, se arrojaban unos a otros pigmentos de color verde, naranja, azul o rojo, para desearse armonía, optimismo, vitalidad, alegría y amor. Sin embargo, mientras su madre agonizaba a su lado, el joven profería sus primeros gritos, pues ya afloraba en él un terrible sentimiento de culpa.

Durante su infancia, Nara malvivió como pudo entre orfanatos y refugios. Se empeñaba en hacer el bien a su alrededor, regalando a otros la poca comida que recibía o encajando los golpes en lugar de otras personas. Pero nada era suficiente para saldar la deuda que creía haber contraído. Las noches lo llevaban en sueños hacia combates en los que bregaba como un león para salvar la vida de personas en peligro. Poco a poco, Nara se convenció de que esos sueños eran los recuerdos de una vida antigua. No podía haber otra explicación.

Cuando sobre su labio superior asomaba un bigote incipiente, se le presentó por fin una ocasión única. En la penumbra de la tarde, un furgón lo adelantó a toda velocidad y se detuvo al final de un callejón. Allá al fondo, tumbados en el suelo, vio a cuatro jóvenes, golfillos callejeros como él. Dos hombres salieron del vehículo y los agarraron sin darles tiempo para reaccionar. Entre gritos desgarradores, los mozalbetes forcejearon para soltarse, pero los agresores se resistían con fuerza. No lograrían escapar por sí solos.

Nara había oído hablar de lo que les ocurría a los niños de la calle cuando los raptaban. De repente, el joven decidió que estaba harto. Sin hacer ruido, salió disparado hacia el fondo del callejón. Iba tan deprisa que parecía que sus pies no tocaran el suelo. Los escasos metros que lo separaban de aquellos hombres se acortaban a toda velocidad, y, en un abrir y cerrar de ojos, llegó junto a ellos.

Nara adivinó el miedo en sus miradas. Cuando abrió la boca para gritar, un rugido aterrador salió de su garganta. Los hombres soltaron a los niños, que salieron huyendo, aterrados por el inmenso león blanco que tenían delante. El animal volcó el furgón de un zarpazo y obligó a los agresores a huir despavoridos. El callejón quedó en silencio. Nara, más sosegado, recobró su aspecto humano y se desplomó en el suelo, con el rostro humedecido y una sonrisa en los labios. Nunca se había sentido tan reconfortado. Una voz de mujer reía en lo más profundo de su alma.

—Mamá... —murmuró. Se levantó y se cubrió con una vieja tela que encontró tirada en el suelo. Cuando volvió a la calle principal, el gentío en danza lo sacó de su ensimismamiento. Un puñado de pigmento le tiñó el rostro de color.

Nara adoptó el nombre de Narasimha. Muchos han visto su cuerpo de felino blanco surgir de la nada. Se convirtió en la pesadilla de los delincuentes más desalmados, una leyenda que los huérfanos y los pobres se transmiten unos a otros en las peligrosas calles de la ciudad.

LA INSPIRACIÓN DE LOS ARTISTAS

Hace ya años que los más grandes artistas encontraron en nosotros, los superhéroes, una nueva fuente de inspiración. Pintores, escultores, autores de cómics, cineastas, todos se han rendido ante nuestra imagen valerosa.

Cada uno de ellos aporta su toque creativo para plasmar nuestras hazañas. Cuadros, libros, películas, figuritas u otros productos derivados: el caso es explotar al máximo nuestra imagen. Algunos incluso llegan a inventar nuevos superhéroes.

A nosotros nos beneficia. La cobertura mediática que logran permite, por una parte, que el público nos acepte como colectivo y, por otra, que los superhéroes de verdad podamos trabajar con total tranquilidad. Al fin y al cabo, no todos queremos ser noticia de portada en los periódicos; es más, si hay quien piensa que los superhéroes no existen, tanto mejor.

UN REGALO PARA PUBLICISTAS

¡El dinero mueve montañas! Si hay que utilizar la imagen de los superhéroes para lucrarse, los publicistas no tienen ningún reparo. Cuántas veces habré visto la imagen de un superhéroe en una valla gigantesca que ensalza el superpoder de una lejía o una bebida energética. Os presento algunos eslóganes que me han llamado especialmente la atención:

Cereales CROSTIES

EL SUPERHÉROE QUE LLEVAS DENTRO

Supercrema para untar

supercrema

Se necesita energía para ser un superhéroe.

GUERRÍE
EL QUESO DE LOS SUPERHÉROES
CON PANTALÓN CORTO

EFFO
Ponga un superhéroe en el motor

DOSCH
TRABAJO DE SUPERHÉROE

LA OLLA A PRESIÓN CED ES SUPERFANTÁSTICA

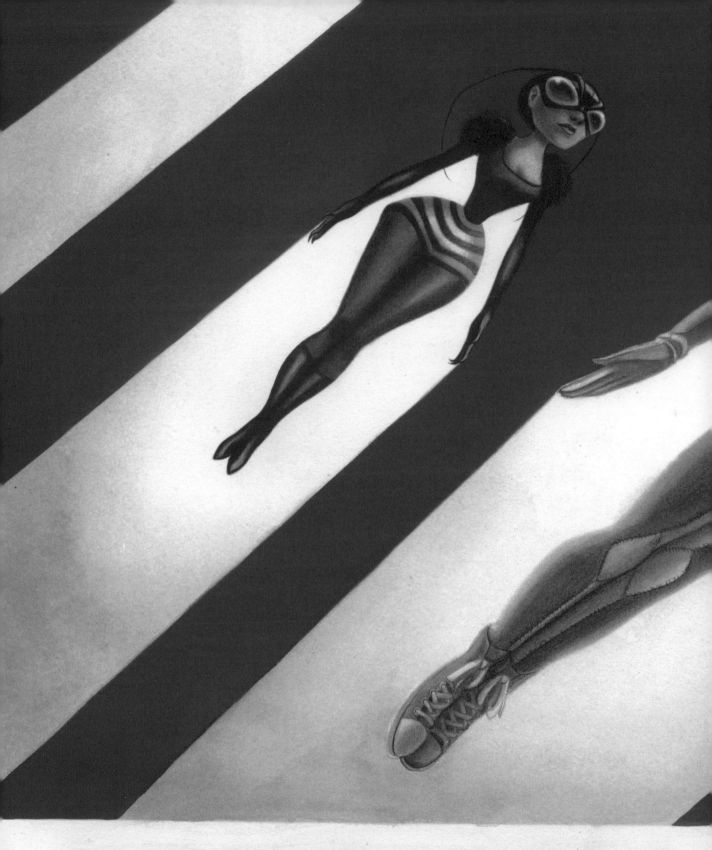

SUPERPOWERS

Los superpoderes

El superpoder es una capacidad singular que posee el superhéroe. Tener la piel de acero, crear una ilusión o manipular la melena a la manera de un pulpo cuando mueve sus tentáculos son la clase de ventajas que lo distinguen del ser humano corriente.

Pero pocas personas son conscientes de las dificultades que eso conlleva. Descubrir que uno tiene un superpoder, aceptarlo y controlarlo no es tarea fácil. En este capítulo, os presento las bases fundamentales que explican el cómo y el porqué de un superpoder. Prestad atención: sin control, la fuerza no sirve para nada.

CLASIFICACIÓN DE LOS SUPERPODERES

Según el profesor Martin Lieber, existen tres categorías de superpoderes: los superpoderes de fuerza (SPF), los superpoderes de la mente (SPM) y los superpoderes de manipulación de la materia (SPMM).

– En el caso de los SPF, los músculos revelan una fuerza sobrehumana.
Bíceps, tríceps y cuádriceps se contraen y se tensan para levantar, proyectar o destrozar masas increíbles. Más de la mitad de los superhéroes tienen un SPF.
Ejemplos de SPF: volar, gritar, correr a toda velocidad, soplar...

– Los SPM se basan en una fuerza mental extraordinaria.
Las neuronas se ponen a cavilar y transmiten las ideas, que salen a borbotones. Todo es tan sencillo y tan evidente...
Ejemplos de SPM: telepatía, telequinesia, superinteligencia, videncia...

– Los SPMM presentan una complicación mayor. Se basan en principios físicos complejos que suponen un conocimiento perfecto de los átomos. Juntarlos, entrechocarlos o manejarlos a voluntad, nada parece imposible para moldear la realidad y controlarlo todo. Os animo a que consultéis manuales de física y química para comprenderlo y conocerlo todo.
Ejemplos de SPMM: invisibilidad, transformación, curación...

Fisonomía del superhéroe

La mayoría de los superhéroes tienen un físico normal y corriente. De esa forma, si no llevan puesto el supertraje, pasan totalmente desapercibidos. Pero en un 10% de los casos su superpoder les confiere un físico muy peculiar. Si se estudia su esqueleto se observa mejor la gran variedad registrada.

Superpoderes difíciles de asimilar

En algunos casos muy excepcionales, los superpoderes no son un don glorioso, pero pueden resultar útiles de todos modos. Por ejemplo, el titán Arum tenía un superpoder curiosísimo, consistente en desprender un olor hediondo. Con todo y con eso, en su época era el superhéroe más eficaz.

Biografías de los doctores Martin Lieber y Jerrie Siegel

Martin Lieber nació el 28 de diciembre de 1922 en Nueva York. Se le considera uno de los más grandes especialistas en superpoderes. Estableció una clasificación muy detallada y, hasta hoy, ha clasificado cerca de 2 135 variantes de superpoderes. Es un hombre de acción que inició su carrera saliendo al encuentro de los superhéroes y ayudando en numerosos supercombates.
Es autor de cerca de treinta publicaciones y actualmente dirige el famoso CIISP (Centro Internacional de Investigación sobre Superpoderes).

Jenny Siegel nació el 17 de octubre de 1914 en Cleveland y es la primera genetista que se interesó por los superhéroes. Era la penúltima hija de cuatro hermanos, y fue la incapacidad de comprender lo que le ocurría a su hermano pequeño Joshua lo que la llevó a emprender una investigación descomunal: explicar los superpoderes. En 1988, logró detectar un gen particular relacionado con los superpoderes. Arrojó una nueva mirada sobre la superheromanía, que durante mucho tiempo se había considerado una degeneración.
En reconocimiento a toda su carrera, se le concedió el premio SuperNobel en 2002, que recibió de manos de su propio hermano.

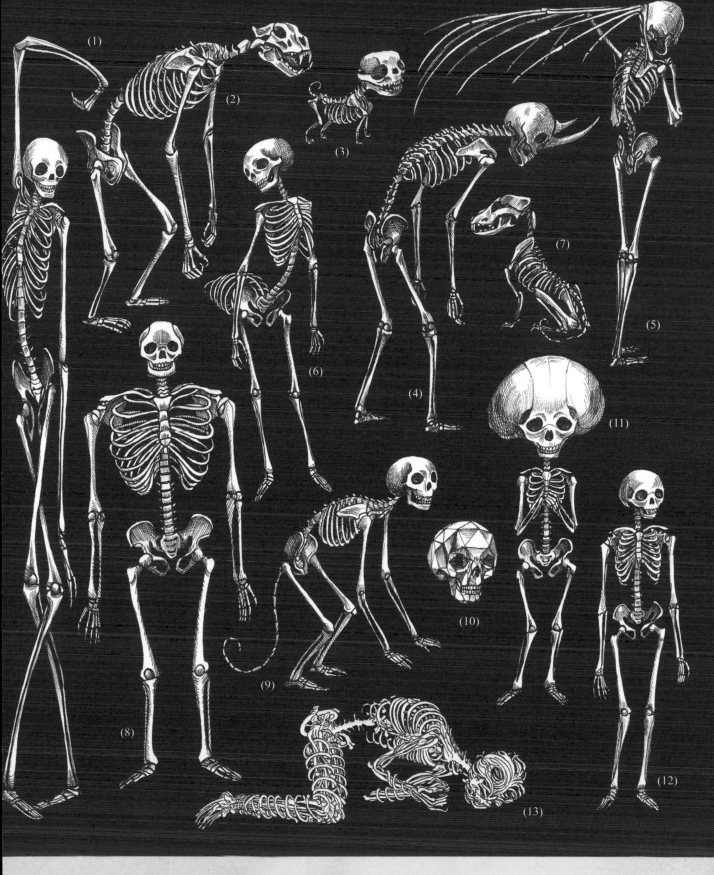

Esqueleto de los superhéroes (el 10% posee un físico fuera de lo común)

(1) Gommez, el hombre chicle (2) Narasimha, el hombre león (3) Lisbeth (4) Super-Rino (5) Angelus, el hombre con alas (6) Wasp Woman (7) Virgile (8) Forja, el hombre de acero (9) Sun Wukong, el hombre mono (10) Diamante (11) Céfalo (12) Hombre clásico (13) Hombre vegetal

Aparición de los superpoderes

El día en el que aparecen los superpoderes es probablemente el día más importante en la vida del superhéroe. ¡Es emocionante!

En primer lugar, se produce el efecto sorpresa: un rayo luminoso que sale de los ojos, una piedra hecha añicos con la facilidad con la que se casca un huevo o un reflejo que desaparece del espejo.

Luego te invade el miedo de padecer alguna enfermedad, de ser diferente o de que los demás te rechacen. También te puede invadir rápidamente un sentimiento de euforia. Te vuelves muy poderoso, quizá indestructible. Pasas de ser una persona insignificante a ser alguien extraordinario. ¡Hay que estar preparado!

No hay ninguna regla fija. El superpoder puede manifestarse a cualquier edad: a los 3, los 10, los 21, los 30 o incluso a los 80 años. Pero siempre se observan algunos signos precursores.

Información cromosómica

Como seguramente ya sabréis, los cromosomas transportan la información genética. Son ellos los que determinan, en concreto, qué aspecto tendremos. Cada célula del cuerpo humano posee 23 pares de cromosomas.

En un superhéroe, interviene un cromosoma 47, que adopta un aspecto característico en forma de S. Es el que te convierte en un ser humano con superpoderes.

La alcachofa neutraliza los superpoderes

La alcachofa es un alimento anodino, aunque muy entretenido de comer, ya que supone todo un descubrimiento deshojarla y sacar a la luz su corazón. Cuesta imaginar los efectos tan nocivos que puede producir.

Sin embargo, así es. El superhéroe tiene una alergia especial a las alcachofas. Su ingesta, su olfacción o incluso su sola presencia en una habitación basta para derribar a un superhéroe. Su contacto provoca, según la persona afectada, reacciones cutáneas, náuseas, vértigos e incluso parálisis. Pero en cualquier caso anula los superpoderes.

Cuidado, porque el superhéroe, si se le somete a una fuerte dosis de alcachofa, puede perder definitivamente sus superpoderes.

El joven Electrum con su familia. Su superpoder de generar electricidad se manifestó cuando tenía 9 años.

TEST: ¿CUÁL ES TU SUPERPODER?

PIDE AYUDA A TU PERRO O A TU GATO. LOS ANIMALES SON MUCHO MÁS SENSIBLES A LOS MENSAJES TELEPÁTICOS. DALES UNA ORDEN MENTALMENTE. SI SE QUEDAN CON CARA DE INTERROGACIÓN O TE RESPONDEN, GANAS UN *.

PON UNA MONEDA EN LA PALMA DE LA MANO Y CIERRA LOS OJOS. IMAGINA QUE SE VUELVE VAPOROSA COMO UNA NUBE. CUENTA HASTA 10 Y ABRE LOS OJOS. SI LA MONEDA ESTÁ EN EL SUELO, GANAS UN +.

CONSIGUE UN VASO DE CRISTAL MUY SENSIBLE A LOS SONIDOS. COLÓCALO DELANTE DE TI Y GRITA CON TODAS TUS FUERZAS. SI EXPLOTA, GANAS UN °.

COLÓCATE DELANTE DE UN ESPEJO E IMAGINA QUE CADA CÉLULA DE TU PIEL IMITA EL DECORADO QUE HAY DETRÁS DE TI. SI AL MENOS UNA PARTE DE TU CUERPO SE VUELVE INVISIBLE, GANAS UN +.

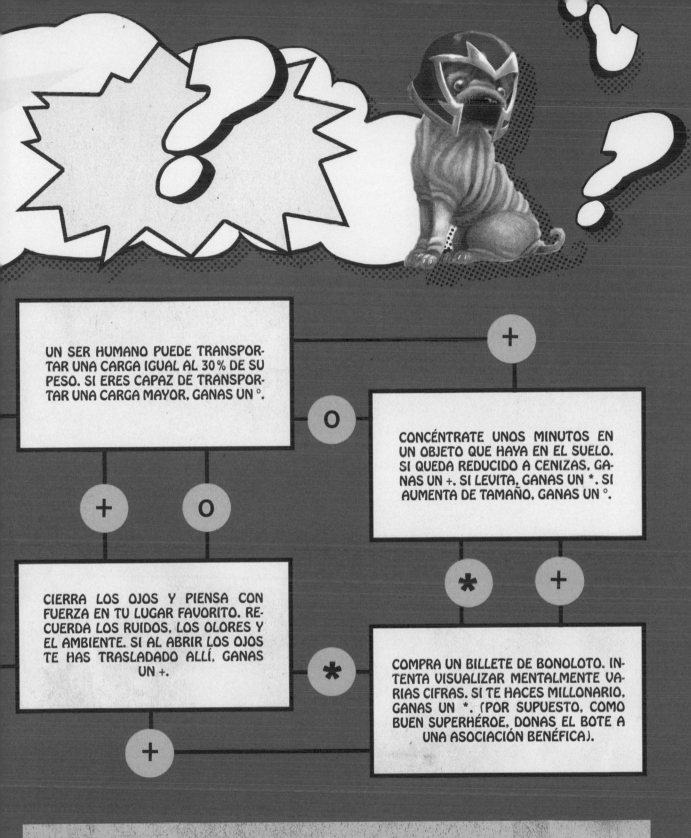

UN SER HUMANO PUEDE TRANSPORTAR UNA CARGA IGUAL AL 30 % DE SU PESO. SI ERES CAPAZ DE TRANSPORTAR UNA CARGA MAYOR, GANAS UN °.

CONCÉNTRATE UNOS MINUTOS EN UN OBJETO QUE HAYA EN EL SUELO. SI QUEDA REDUCIDO A CENIZAS, GANAS UN +. SI LEVITA, GANAS UN *. SI AUMENTA DE TAMAÑO, GANAS UN °.

CIERRA LOS OJOS Y PIENSA CON FUERZA EN TU LUGAR FAVORITO. RECUERDA LOS RUIDOS, LOS OLORES Y EL AMBIENTE. SI AL ABRIR LOS OJOS TE HAS TRASLADADO ALLÍ, GANAS UN +.

COMPRA UN BILLETE DE BONOLOTO. INTENTA VISUALIZAR MENTALMENTE VARIAS CIFRAS. SI TE HACES MILLONARIO, GANAS UN *. (POR SUPUESTO, COMO BUEN SUPERHÉROE, DONAS EL BOTE A UNA ASOCIACIÓN BENÉFICA).

RESULTADO DEL TEST:

Si has obtenido mayoría de *, es probable que tengas un SPM.
Si has obtenido mayoría de +, es probable que tengas un SPMM.
Si has obtenido mayoría de °, es probable que tengas un SPF.
Si no has sacado nada, es posible que todavía sea demasiado pronto para ti.

Atención: te aconsejo que seas prudente y no vayas demasiado rápido. No te tires por la ventana creyendo que tu superpoder consiste en volar. Imagínate que en realidad consistiera en transformarte en cristal: te harías añicos contra la acera.

SALMINA

Salmina contemplaba las laderas del Atlas, en las que había crecido. Su aldea vivía en ósmosis con la roca ocre, donde se había asentado como un liquen en la corteza de un árbol. Nada había cambiado, salvo sus habitantes. Los ancianos de su infancia habían dejado paso a los padres, y los padres a los hijos de la época. Algunos se habían marchado a la gran ciudad, otros habían probado suerte en distintos países allende los mares. Su padre y su madre habían dejado este mundo poco después de marcharse de la aldea, hacía diez años.

Salmina recordó las fiestas con sus primos y los festines, que se prolongaban desde el anochecer hasta el alba. Pero para ella todo había cambiado al llegar a la adolescencia. Cuando aparecieron sus superpoderes, ya nadie la miraba del mismo modo, y Salmina pudo leer el miedo en los ojos de sus vecinos. Entonces, sin saber qué rumbo tomar, se marchó al desierto. Sola.

Había caminado errante durante horas. Por el día, había sufrido un calor sofocante y, por la noche, el frío la había atenazado. También había pasado un hambre atroz. Al cabo de una semana, cuando ya no podía más, Salmina había caído de rodillas en el suelo y se había desplomado. Como en un último estertor, su cuerpo había desprendido un calor tan potente que, en un radio de 2 metros, había transformado la arena en cristal.

Cuando volvió a abrir los ojos, medio inconsciente, vio que estaba rodeada de aldeanos vestidos con grandes túnicas azules. Los hombres estaban petrificados, pero las mujeres se acercaron con cantimploras y fruta y se arrodillaron delante de ella inclinando la cabeza. Le hablaron en un dialecto que no conocía. Salmina probó algún bocado y, seguidamente, la llevaron a una tienda, donde se quedó dormida.

Al despertar, descubrió una aldea asolada. Los niños estaban raquíticos y sucios. Tenían los rostros tristes y demacrados y la piel tan árida como los campos. Salmina sabía que su superpoder podría ayudarlos. Ya lo había experimentado. La joven se elevó por los aires y se inmovilizó por encima de los cultivos. A su alrededor se formó una bruma vaporosa que se densificó y se transformó en una precipitación. Una lluvia fina cayó sobre el suelo ante los perplejos ojos de los aldeanos. Sin ser del todo consciente de sus actos, Salmina aprovechaba la fuerte composición de hidrógeno de su cuerpo para mezclarlo con los otros átomos que la rodeaban.

Salmina se había convertido en la reina del desierto. Pero el miedo o la admiración que leía en los ojos de los demás solo lograban aislarla aún más, de modo que se resignó a vivir en soledad. En la ladera de una montaña inaccesible, se había construido una morada de cristal que brillaba al sol. De todas partes llegaban visitantes para suplicarle que provocara una lluvia, secara las inundaciones o resolviera los conflictos. La joven solo quería hacer el bien y era incapaz de negarse, dejando de lado su propia felicidad.

Pero, poco a poco, Salmina sintió que perdía el control de su cuerpo, y que una fuerza incontrolable invadía todo su ser. Sus células se metamorfoseaban en energía pura, comparable a la del núcleo de una estrella. Nada ni nadie podía acercarse a ella. Las rocas se fundían al contacto con sus manos y los animales se consumían si se acercaban a menos de 10 metros. Sabía lo que debía hacer.

Tras despedirse brevemente de aquel desierto que la había visto nacer, Salmina se elevó por los aires y aspiró lentamente el oxígeno a su alrededor. Enseguida, los aldeanos de los alrededores tuvieron dificultades para respirar. La joven sintió cómo su cuerpo se licuaba, pero sin dejar de abrasar. Entonces, aspiró con más fuerza. El cielo se oscureció y una lluvia torrencial cayó sobre la roca hasta que enseguida formó un lago.

Nadie volvió a ver jamás a Salmina, la reina de la lluvia.

Extracto de diario – 12 de agosto de 1988

... Hace tres días me pasó una cosa muy rara: se me empezaron a iluminar las uñas en la oscuridad, como si fueran fluorescentes. El incidente duró casi una hora.

Al principio, pensé que se debía a lo que me había dado de comer Annie, mi canguro. Esas chirlas raras que puso en la pasta no tenían muy buena pinta. Pero esta mañana me ha vuelto a ocurrir. De todos modos, no voy a preocupar a papá y mamá por esa tontería. ¡Para una vez que se van de vacaciones! Ya se lo contaré cuando vuelvan.

¿Y si resulta que es grave? ¡A lo mejor son unos primeros síntomas! Por más que he buscado en la enciclopedia, no he encontrado nada al respecto. ¿Será una enfermedad rara, una enfermedad huérfana, como las llaman los médicos?

No quiero morir. ¡Solo tengo 12 años, por favor!

Entonces pensé que debía empezar un diario para anotar todo lo que me fuera ocurriendo. Eso me ayudará a entender y, sobre todo, a no olvidar nada. Con un poco de suerte, no volverá a pasar...

Extracto de diario – 15 de agosto de 1988

... Ha ido a peor. Esta noche me he despertado porque había luz en mi cuarto. ¡Eran mis manos! Brillaban más que una lámpara y estaban transparentes, como si fueran solo de luz. Cuando he intentado apretar una contra otra, se han atravesado.

Mi primera reacción ha sido gritar. Menos mal que he tenido aplomo suficiente para esconder las manos debajo de la manta antes de que Annie abriera bruscamente la puerta. Le he dicho que había tenido una pesadilla y se ha marchado. He llorado unos minutos y luego se me ha ocurrido hacer una foto. He cogido la cámara con los pies y, como he podido, he sacado la foto. No sabía muy bien cómo iba a salir. Luego llevaré el carrete a la tienda para que lo revelen.

A eso de las seis, las manos han empezado a recuperar su aspecto normal. Ahora estoy seguro: esto no ha hecho más que empezar.

¿Debo decírselo a Annie? Mis padres no vuelven hasta dentro de tres días, y no me apetece nada ingresar en un hospital sin ellos...

Extracto de diario - 18 de agosto de 1988

... Hoy han vuelto mis padres. Todavía no les he contado lo de mi problemilla. ¡Parecían tan contentos! No he vuelto a tener síntomas desde el día 15. Pero las fotos que hice son la prueba de que algo no va bien. Aparte de eso, me encuentro perfectamente, cosa que no suele durar mucho.

Esta tarde he visto una peli que iba de un contagio. El paciente cero estaba encerrado y servía de cobaya para todos los tratamientos. Yo no quiero que me ocurra eso a mí...

P. D.: Si alguien lee este diario algún día y ya no estoy aquí, no me gustaría que nadie creyera que soy el causante de una pandemia. Nunca toso delante de los demás, y me lavo las manos siempre que puedo. Pero no me decido a entregarme. Me da mucho miedo...

Extracto de diario - 19 de agosto de 1988

... Las manos se me han vuelto a iluminar. Empiezo a notar cuándo me va a suceder. Y, si me concentro a fondo, consigo devolverlas a su estado normal. Es esperanzador. Tal vez logre bloquear el proceso. Cruzo los dedos, mientras pueda seguir haciéndolo...

Donnie y Claude

Las hojas de los árboles habían perdido su alegría de vivir y caían sobre el suelo húmedo. Los pocos clientes de la cafetería de Dallas tenían la cabeza inmersa en el periódico y leían con gesto compungido. Mientras les servía una aguachirle inmunda, Donnie les brindaba una sonrisa que más bien se quedaba en mueca agria. Sin embargo, a sus 19 años, era hermosa como una flor. El país acababa de sufrir un crac bancario sin precedentes. La joven camarera sabía que, entre los que frecuentaban el local, algunos habían perdido su empleo y otros se habían quedado en la calle. Al fondo de la sala, un cliente que nunca había visto esperaba para hacer su pedido. Nada más acercarse a él, sintió una atracción muy especial.

Cuando Claude levantó los ojos se produjo el flechazo. Su vida, triste y aburrida, acababa de iluminarse como se alumbra la noche oscura con el rayo. Balbuceó unas palabras para pedir una hamburguesa especial Dallas y un refresco. Al devolverle la carta, rozó la mano de la joven, y en ese momento las luces de neón empezaron a parpadear. Los clientes salieron de su letargo y levantaron la cabeza, pero ellos dos no dejaron de mirarse. Claude se levantó y rodeó a Donnie con sus brazos. Una onda eléctrica los envolvió y creó una corriente de pánico en la cafetería. Como si fueran dos elementos químicos que solo reaccionan al entrar en contacto, sus superpoderes solo funcionaban cuando se unían.

Los dos enamorados ya no volvieron a separarse. Cogidos de la mano (siempre con guantes), pasaban el día paseando por las calles, despreocupados. Pero enseguida se quedaron sin dinero. Claude miró a Donnie, tan hermosa pese a su vestido ajado, y pensó que merecía algo mejor. Entonces, la llevó a una joyería, en cuyo escaparate centelleaba un río de diamantes con mil destellos. Entraron en la tienda para que se lo probara. Le quedaba tan bien... Y nunca podría regalárselo. Se quitó el guante y acto seguido se lo quitó a Donnie. Cuando le tomó la mano, se formó un haz de luz. Las lámparas explotaron y los sistemas de alarma se averiaron.

Donnie y Claude salieron de la joyería con total parsimonia, y el collar adornaba aún el cuello de la hermosa joven. Nadie había reaccionado. Al final, había resultado muy fácil... La joven estaba radiante, al igual que Claude.

Después de aquello, la pareja dotada de superpoderes se dedicó a robar coches de lujo y a cometer atracos a mano armada. La prensa empezó a interesarse por ellos, y pronto se hicieron ricos y famosos. La población, que lo había perdido todo por culpa de los bancos, se imaginaba que Donnie y Claude estaban pagando a las entidades con la misma moneda. Pero la vida de la pareja dio un vuelco inesperado.

El día de su atraco número veintitrés, las fuerzas del orden habían movilizado todos sus recursos. Cuando Claude vio que se acercaban unos treinta policías armados hasta los dientes, temió por su vida y fue presa del pánico. Se dio cuenta de que esas riquezas tenían muy poco valor en comparación con su querida y tierna Donnie. El joven tomó la mano desnuda de su amada y, liberando toda la electricidad de la que fue capaz, disparó a ciegas. Todos los policías cayeron desplomados; la mayoría de ellos murieron. Donnie y Claude se sintieron invencibles y no pudieron contener unas crueles carcajadas.

La opinión de los ciudadanos cambió a medida que aumentaba la lista de sus delitos. Donnie y Claude, desdeñando el hecho de haberse convertido en el enemigo público número uno, seguían viviendo su vida. Una hermosa mañana, los enamorados decidieron salir al campo. Tomaron prestado un magnífico descapotable y emprendieron viaje con el cabello al viento. Pero, al llegar a un recodo del bosque, Claude se detuvo en el arcén. Donnie oyó un disparo y vio la cabeza de su amante desplomarse sobre el volante. Se precipitó para tocarle la piel, pero su superpoder había desaparecido. Lanzó un grito justo antes de que se oyese un segundo disparo de fusil...

SUPERPODERES ESPECTACULARES

Existe una cantidad infinita de superpoderes. Tantos que me resulta imposible enumerarlos todos. Así pues, me limitaré a describir los más espectaculares. Por primera vez, y en exclusiva para vosotros, revelo todos los entresijos.

Vuelo ascensional sensacional

¿Quién no ha soñado con volar? ¿Con ser libre como el viento?
Algunos superhéroes tienen la suerte de estar dotados con este superpoder.

Existen numerosas técnicas para volar:

– Por superfuerza. El superhéroe da un salto tan grande que se puede considerar que está volando.
– Por manipulación del aire. El superhéroe rodea su cuerpo de un espacio de depresión y corrientes cálidas que, creando una aspiración, lo eleva por los aires.
– Por magnetismo. Para que este método funcione, el traje del superhéroe debe estar fabricado de metal, con el fin de que flote en un campo magnético.
– Por repulsión. Mediante soplos o gritos, el superhéroe se puede dar impulso para proyectarse y mantenerse en el aire.
– O bien, simplemente con unas alas.

En la actualidad, el superhéroe más rápido es Veloz, que puede alcanzar la velocidad Mach 20, es decir, volar a 24501 kilómetros por hora, lo que significa ir diez veces más rápido que los aviones de pasajeros. Por encima de esta velocidad, los tejidos del cuerpo del superhéroe podrían desgarrarse.

Algunos superhéroes pueden desplazarse todavía más rápido, con superpoderes de teletransportación o gracias a que su cuerpo está hecho de luz. En estos casos, recorren más de 1000 millones de kilómetros en menos de una hora; cifras que dejan perplejo a más de un superhéroe.

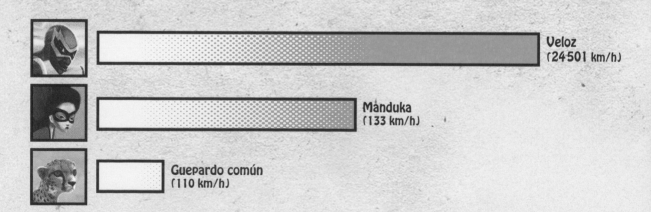

Veloz
(24501 km/h)

Mánduka
(133 km/h)

Guepardo común
(110 km/h)

Generación de rayos láser

El láser es una superconcentración de la luz.

Alcanza una temperatura de 1 200 °C que atraviesa las materias más resistentes. Es imposible esquivarlo y roza los 300 000 kilómetros por segundo. Solo un espejo puede resistirlo y desviarlo de su trayectoria.

Principio de generación del láser por superdistancia focal de la retina:
El ojo capta, acumula e intensifica los rayos luminosos del sol, como lo haría una lupa.

Principio de generación del láser por excitación de los átomos:
Se produce una energía descomunal. Normalmente, los superhéroes dotados de este superpoder lo ejercen en la palma de su mano y lo proyectan extendiendo el brazo.

Formación de cristales de hielo

Es la técnica que utiliza el superhéroe Frizzer para escarchar a un supervillano o para formar estalactitas que pueden ser tan peligrosas como una espada.

Se trata de una congelación del vapor de agua presente en el aire cuando la temperatura es inferior a −39 °C. Para ello, el superhéroe utiliza fluidos frigorígenos como el nitrógeno. Al modificar la presión atmosférica, esos fluidos se evaporan y absorben una gran cantidad de calor.

Paso a través de las paredes

El truco está en jugar con el vacío que separa los electrones y los protones/neutrones. Se parece a cuando se mete la tripa para pasar entre dos mesas muy juntas. Los átomos del cuerpo evitan los de la pared y se pasa a través. No es un superpoder fácil, porque exige una gran proyección.

Teletransportación

La teletransportación es una práctica muy peligrosa. Los átomos del cuerpo del superhéroe se separan, se dispersan en el aire y se vuelven a juntar en otro lugar.

La principal dificultad radica en transmitir una información precisa a las células: sería fatal que alguna de ellas se perdiera por el camino. También hay que dominar a la perfección el plan de destino. Imaginaos, por ejemplo, que el cuerpo se reconstruye en el mismo lugar en el que hay construido un edificio. Sería desastroso, porque se quedaría imbricado dentro.

Las teletransportaciones a larga distancia suelen ser muy arriesgadas. Es preferible escoger lugares que estén a la vista.

Torbellino tornado

Basta con imitar la naturaleza y jugar con los vientos y las corrientes ascendentes y descendentes, calentando el aire de forma desigual.

Paso de una banda tormentosa acompañada de una bajada de aire frío.

El aire caliente, más ligero, sube desde el suelo o el mar y rodea la corriente fría…

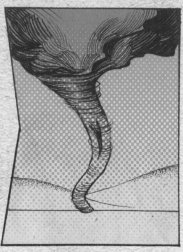

… lo que genera una poderosa columna de aire que se arremolina y llega al suelo.

Lectura del pensamiento

Recordad que el cerebro es un conjunto complejo de neuronas (¡tiene varios miles de millones!) unidas entre sí por sinapsis. Todo es eléctrico o químico. Por tanto, para leer el pensamiento de una persona, hay que lograr conectarse con ella. Se parece a conectarse a Internet con wifi.

El superhéroe telépata establece un vínculo directo con las sinapsis del cerebro de otra persona. Cuando lo consigue, es como si los dos cerebros fueran solo uno. Sin embargo, hay que tener cuidado de que el cerebro a distancia no nos controle a nosotros.

En teoría, se puede leer el pensamiento de cualquier ser vivo (perro, tigre, rinoceronte, etc.), pero es necesario hablar el mismo lenguaje.

Metamorfosis

En potencia, un superhéroe con la capacidad de transformarse puede convertirse en cualquier cosa. El método siempre es el mismo. Es lo que se llama información genética variable. El ADN se combina de distinto modo bajo la voluntad del superhéroe, para que cada célula de su cuerpo adopte otras características.

Pero normalmente cada superhéroe tiene sus preferencias; por ejemplo, convertirse en un león o un águila.

Cuidado, no hay que confundir este superpoder con la ilusión que proyectan algunos superhéroes en la mente de las personas para que los vean con otro aspecto. Se trata de un superpoder totalmente distinto.

Extracto de diario - 15 de febrero de 1989

... Logro volverme luminoso cuando quiero. Solo tengo que pensarlo muy muy muy fuerte. Es como cuando se enciende una lámpara de neón. Me dan unos leves escalofríos y ¡conseguido!
No solo consigo iluminar la habitación entera, sino que también emito calor. No está mal para secarse al salir de la ducha. Otra superventaja es que, si lo hago varias veces al día, ya no me ocurre de improviso.
Me pregunto qué va a pasar ahora. ¿Para qué me puede servir?

Extracto de diario - 1 de marzo de 1991

... He llegado mucho más lejos. He logrado que esta energía emane de mi cuerpo. Es un haz de luz que me sale del dedo, tan caliente que puede cortar un tenedor por la mitad. Me pregunto si no será sencillamente eso que llaman un láser. ¿Cómo es posible? ¿Soy de carne o de luz?

Extracto de diario - 29 de marzo de 1991

... Ahora ya tengo la certeza. Me he convertido en un ser de luz. Imagino lo que puedo hacer con mi cuerpo: volverme invisible, volar, ir al fin del mundo. ¡Es flipante! Pero ¿cómo puedo aprender? Creo que hay una escuela. Podría ser una buena solución.

Extracto de diario - 21 de octubre de 1995

No imaginaba que mi superpoder pudiera seguir sorprendiéndome. ¡Qué pasada! Basándome en una nueva frecuencia, he conseguido generar una luz negra que causa un efecto sorprendente en los objetos. Tiene la facultad de mostrar lo que la luz clásica oculta. La realidad de las cosas, lo profundo de su ser. Afecta tanto a los seres vivos como a los objetos, haciendo visible su verdadero sentido, su alma y su sustancia.

SUPER VISION 3D

PONTE LAS GAFAS ANAGLIFAS QUE ENCONTRARÁS AL FINAL DEL LIBRO

Así podrás observar en las páginas siguientes la visión del mundo que tengo yo cuando difundo mi luz negra.

EL YOGA DE ASHTANGA

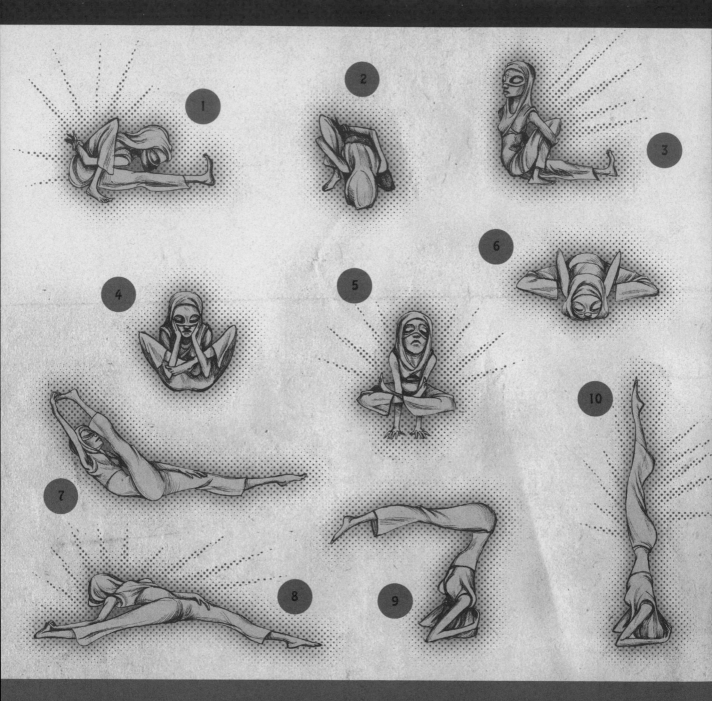

La técnica de combate de Ashtanga se basa en el equilibrio y la concentración. Ha logrado aunar gracia y elegancia y tiene una fuerza terrible. Cada una de sus posturas le permite concentrar su energía vital y, de ese modo, generar campos de superfuerza.

(1) Supererupción solar (2) Superescudo solar (3) Superasalto a la luna (4) Superescudo fetal (5) Superataque del gallo

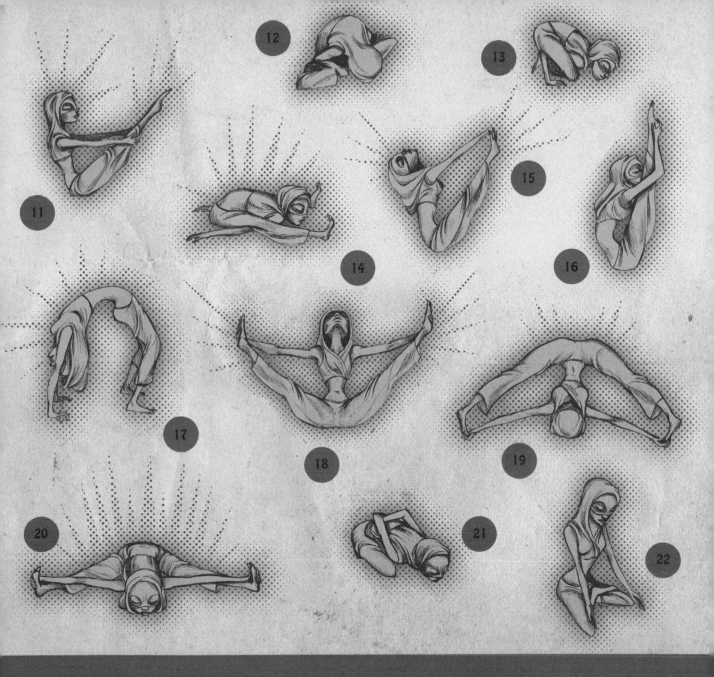

(6) Superrespuesta límite (7) Superarañazo del dedo gordo (8) Superprotección del dedo gordo (9) Superescudo de cabeza (10) Supercabezazo (11) Superafrenta naval (12) Superescudo límite (13) Superdefensa escapular (14) Supermordisco de tortuga (15) Superarañazo del dedo meñique (16) Superescudo facial (17) Superataque del puente (18) Supercoz rasante (19) Superataque inactivo (20) Superchoque piernas estiradas (21) Superprotección recuperadora (22) Superposición del loto

ANFIÓN Y ZETO
LOS SUPERDIOSES

Desde la adolescencia, Máximo y Floren compartían la misma pasión por la arqueología y no tenían mujer ni hijos. De vez en cuando algún perro. A los 30 años, ya habían recorrido el mundo entero en busca de reliquias antiguas. Pero por desgracia no habían tenido mucho éxito... Hasta que, un día, el decano de su universidad los amenazó con cortarles la financiación. Los dos amigos le suplicaron que les permitiera realizar una última expedición a las llanuras de Tebas. Presentían que la antigua ciudad griega todavía escondía algunos secretos.

Con una lámpara de aceite, una espátula y una brocha por todo equipo, emprendieron la marcha solos, pero ilusionados, hacia ese destino de salvación. Escrutaban con avidez esas murallas que ahora conocían bien. De pronto, Máximo agarró de la muñeca a su compañero y le señaló un punto exacto en la roca. Tenía la impresión de que nunca habían explorado ese estrecho pasadizo. ¡Tal vez la suerte les estaba sonriendo al fin! Cuando ensancharon la hendidura, se adentraron en un largo laberinto de pasillos que iba a parar a una amplia cavidad recubierta de un fresco. Aquel 30 de abril de 1954 era sin duda un día memorable.

–¡Por Zeus! Son las aventuras de los semidioses Anfión y Zeto. ¡Las pinturas están intactas! –exclamaron al unísono.

El lugar estaba vacío y el olor a polvo era tan intenso que daban ganas de estornudar. A la izquierda del fresco, un cofre se ocultaba entre las sombras, como un animal atemorizado. Máximo y Floren, con manos dubitativas, lo abrieron con cautela. A pesar de todo, el cofre quedó pulverizado inexorablemente entre sus dedos. Entre los restos de madera aparecieron unas muñequeras de fuerza y una lira, idénticas a las que los semidioses llevaban en el fresco.

–¡Guaaaaau! –se habían quedado sin palabras.

Sin ponderar su audacia, Máximo levantó el arpa. Una alegre melodía invadió su mente. Pulsó una cuerda, y las piedras de alrededor empezaron a levitar. Se dejó llevar por la inspiración, y las piedras, dóciles, empezaron a dar vueltas rítmicamente.

Floren, animado, se hizo con las anchas muñequeras de bronce y les sacudió el polvo. Eran cálidas y macizas. El joven no pudo contener las ganas de ponérselas. Una fuerza particular se apoderó de él. La conmoción fue tal que se tambaleó y tuvo que apoyarse en la pared. Sin embargo, la roca, que era sólida, se derrumbó bajo la presión de sus dedos. Floren se quedó estupefacto al sentir esa fuerza sobrehumana. Pero no tuvo tiempo de alegrarse.

La caverna se agrietaba y amenazaba con venirse abajo. Floren contuvo la estructura todo el tiempo que pudo, pero enseguida empezaron a caer piedras por todas partes. Máximo se refugió debajo de su amigo, justo antes de que las rocas macizas los sepultaran a los dos.

En la superficie, un denso nubarrón terroso y una dulce melopea invadieron la llanura. Luego, mientras el polvo caía lentamente, Floren y Máximo emergieron abrazados de la tierra dando un salto majestuoso. Con aquella espléndida audacia, se habían convertido en algo más que superhéroes; ahora eran superdioses. Floren y Máximo habían adquirido la inmortalidad y adoptaron el nombre de las divinidades cuyos inmensos superpoderes habían absorbido.

En la actualidad, Anfión y Zeto, dignos herederos de la condición de semidioses, viven en paraderos recónditos, lejos de otros superhéroes. Sin embargo, los dos amigos nunca ponen mala cara cuando hay que echar una mano en las causas más difíciles.

SEIS PASOS...

1 ELECCIÓN DEL PSEUDÓNIMO

No existen reglas para encontrar el pseudónimo que mejor os defina. Buscad la originalidad. El pseudónimo dirá mucho de vosotros y os acompañará a lo largo de toda vuestra carrera.
Y sobre todo no hay que olvidarse de comprobar la disponibilidad en el Registro Internacional de Pseudónimos.

2 IDENTIDAD SECRETA

Este punto os corresponde a vosotros decidirlo. Es cierto que al superhéroe normalmente le resulta difícil llevar una vida privada de paz y tranquilidad. El anonimato también os permitirá proteger a vuestros seres queridos de posibles ataques de supervillanos. De esa forma tendréis la mente más serena durante los combates.

3 MODO DE TRABAJO

¿En equipo o por libre?
Trabajar en equipo ofrece muchas ventajas. El equipo generalmente tiene un mentor que sabe sacar el mejor partido de cada miembro. Los gobiernos suelen recurrir a equipos para las misiones más ambiciosas y peligrosas.
Pero, si sois espíritus libres, no os preocupéis, porque os las arreglaréis perfectamente si vais por vuestra cuenta. En las páginas de este libro ofreceré ejemplos de numerosas misiones que Sun Wukong solía llevar a cabo para el Gobierno chino.

... PARA UN COMIENZO DE LO MÁS FÁCIL

4 TRAJE

Véase el capítulo «El supertraje: más que un *look*, un arma».

5 GUARIDA

Las misiones del superhéroe son agotadoras. Tenéis que buscar un sitio tranquilo y seguro, en el que nadie os moleste. Un lugar que tenga espacio suficiente para poder guardar el material y, al mismo tiempo, que disponga de un rincón en el que descansar después de un arduo combate.

6 PRIMERAS MISIONES

No resulta difícil mantenerse ocupado, porque se cometen delitos a la vuelta de cada esquina. Un método eficaz consiste en estar presente en todas partes, sobrevolando la ciudad y manteniéndose a la escucha. Algunos lugares son más críticos: los bancos, las calles oscuras, las joyerías...
Si escucháis las comunicaciones de la policía, sabréis dónde intervenir para echar una mano a los agentes.

La escuela Super Academy, también denominada la S, se fundó en 1953. Imparte una enseñanza basada en la heromanía: el uso de superpoderes, el estudio superherológico y la gestión de equipos. De esta escuela salieron superhéroes de renombre, como Baku o Electrum.

Extracto de diario – 25 de septiembre de 1988

... Se ve que no soy el único, lo he escuchado en la radio esta mañana. Al parecer, una tal doctora Penny Ciegel* ha descubierto que algunas personas poseen un gen que les confiere facultades particulares, como volverse invisible o proyectar fuego por los ojos. Lo llama superpoderes. ¿Será eso lo que tengo: un superpoder?
La doctora afirma que no es una enfermedad. Es solo un rasgo distintivo, como ser rubio o alto. Pero es fácil decirlo cuando se es normal...

(*Nota del autor: se trata de un error que cometí en esa época; en realidad se trataba de la profesora Jenny Siegel).

Extracto de diario – 26 de septiembre de 1988

... ¿Debo contárselo a alguien? ¿Quizá alguien podría ayudarme a quitarme de encima este superpoder? ¡Qué mala suerte! ¿Por qué ha tenido que tocarme a mí este dichoso cromosoma S?
Esta mañana he oído una conversación de Paul y Sacha en el colegio. A ellos les parecía una pasada la posibilidad de leer la mente de los demás o de volar. Yo no le veo la gracia a eso de encenderse por la noche. Aparte de servir de lámpara, no lo entiendo.
Además, no me fío. Solo me faltaba que me obligaran a hacer de cobaya. No me apetece un cuerno que me disequen para estudiar el origen del superpoder. Ni que fuera una rana...

Extracto de diario – 27 de septiembre de 1988

... Todavía es muy pronto; me lo voy a guardar para mí.
Como dice mamá, «la prudencia es la madre de la ciencia». Ni siquiera ella lo entendería.
Si lograra encontrar a otros como yo, tal vez podríamos apoyarnos unos a otros...

Extracto de diario – 9 de diciembre de 1988

... He recibido el folleto de la Superescuela para gente como yo. Iba dirigida a mí personalmente. No sé cómo han podido enterarse de que tenía superpoderes. Me proponen que acuda a una entrevista. No pierdo nada con ir. Tengo que encontrar una excusa para que mis padres me acompañen...

Sun Wukong,
el superhéroe incontrolable

Sun Wukong, con los pies anclados en su nube, se dirigía hacia el avión a toda velocidad. Cuando estuvo a menos de diez metros de distancia, vio que la puerta se abría y una joven incandescente proyectó hacia él una bola de fuego. Sin darle tiempo para esquivarlo, el proyectil hizo blanco de lleno, y Sun Wukong se tambaleó en su cúmulo.

El aire le azotaba el rostro y le cortaba las mejillas. Sun Wukong caía a más de 500 kilómetros por hora y ganaba velocidad. Ahora estaba a solo 5 000 metros del impacto.
De detrás de la oreja sacó una diminuta aguja dorada. Le ordenó mentalmente que se agrandara, y el bastón se estiró más y más, hasta que tocó el suelo. Utilizándolo a modo de pértiga, Sun Wukong saltó en dirección al avión.

Después, con los pies bien plantados en la carlinga, arrancó un trozo del aparato y entró en él emitiendo una risilla. Los pasajeros, aspirados por la despresurización y con el cinturón de seguridad puesto, gritaron al unísono. Había cuatro que seguían de pie y se habían agarrado a los portaequipajes. Se dieron la vuelta, estupefactos. Entre ellos, Sun Wukong reconoció a la joven que lo había agredido. ¡Eran los terroristas! Su misión era sencilla: neutralizar a esos cuatro antes de que estrellaran el avión contra la torre Shanghái. Aunque Sun Wukong era de corta estatura, tenía la fuerza de diez hombres. Pero, ante todo, no era ningún ingenuo. Tenía una edad milenaria que le había permitido perfeccionar su técnica. Además, disfrutaba mucho luchando.

Un primer terrorista lanzó un chorro de hielo y cerró el agujero de la carlinga. Un segundo malhechor hizo tabla rasa barriendo con el revés de la mano la fila central de asientos con sus pasajeros. La tercera, la mujer, estaba incandescente. Su cuerpo desprendía cada vez más calor, y ahora volvía a apuntar hacia Sun Wukong. Y el cuarto ladrón, armado hasta los dientes, disparó contra él. Un gran trabajo de equipo, pero no lo bastante bueno para impresionarlo.

Con su cola de mono, Sun Wukong se elevó hasta el techo y esquivó los proyectiles. Luego, emitiendo unos grandes «blub» sonoros, se desdobló varias veces. De repente, cinco Sun Wukong idénticos se enfrentaban a los terroristas, que parecían muy preocupados. Pero ese no era el único talento de Sun Wukong. El superhéroe era capaz de realizar hasta setenta y dos transformaciones. Mantenía la cola en todas ellas, que era lo único que lo delataba.

Ahora sus clones iban a ajustar cuentas con esos terroristas. El Sun Wukong número 1 fue a sentarse a un asiento para descansar. El Sun Wukong número 2 se transformó en pulga y se fue a picar al tirador nervioso. Este, en un ataque de picores, tuvo que soltar las armas y la armadura hasta quedarse en calzoncillos, a merced del superhéroe. Un gancho lo noqueó sin ninguna dificultad. Al Sun Wukong número 3 le habían crecido cuernos en la cabeza y pezuñas en los pies. Con aspecto de chivo, arremetió contra el hombre de hielo y lo hizo estallar en mil pedazos. Junto a ellos, la mujer con temperamento de fuego se enfrió por culpa del Sun Wukong número 4, que había adoptado la forma de una llama y le había escupido varios litros de baba a la cara. Y el Sun Wukong número 5 se transformó en un inmenso chicle de clorofila y envolvió al señor «Musculitos», que quedó inmovilizado en pocos minutos.

Cuando se resolvió el caso de los supervillanos, el superhéroe abrió la puerta y saltó sobre una nube a la que había silbado como si fuera un fiel caballo de batalla. Dejó que el avión recuperara su rumbo, mientras su auricular lo llamaba a otra misión.

El supertraje: más que un *look*, un arma.

El traje es para el superhéroe un accesorio absolutamente im-pres-cin-di-ble. Es mucho más que una prenda que protege del frío, el calor y la humedad. ¡Puede aumentar la fuerza!

SUPERLOOK

Historia del Supertraje

El traje es el que transmite vuestra imagen. Hay superhéroes que han logrado hazañas gloriosas y que, sin embargo, no han logrado que se les tome en serio por culpa de su traje. ¡Un atuendo ridículo puede ser fatal!
Ante la duda, contratad los servicios de especialistas y entrenadores personales.

No descuidéis vuestro look.

1930
Estilo elegante

1940
Estilo militar

1950
Estilo burlesque

1960
Estilo hippie

Tras varios años de investigación, en la actualidad el traje presenta las siguientes características:

– Estructuras reforzadas
– Bálsamos reparadores
– Revestimientos de protección muscular
– Un supertermorregulador
– Un emisor y receptor vía satélite

Permite un confort óptimo durante las misiones.

¿CON CAPA O SIN CAPA?

El 49 % de los superhéroes afirman que todo buen traje debe llevar capa.

El 47 % de los superhéroes afirman que la capa les molesta durante los combates.

El 4 % no sabe o no contesta.

Sobre este estudio, Flybird ofrece el siguiente testimonio:

«Sin mi capa, a estas alturas estaría muerto.

Siempre me han explicado que la capa era un peligro: que un supervillano podría agarrarse a ella o que podría quedarse enganchada en una verja, o incluso ser aspirada por el motor de un avión a reacción.

Siempre he creído que un traje con capa era mucho más elegante. Por eso, pese a todas las advertencias que he oído, sucumbí al estilo.

Un día estaba trabajando en equipo con Megatón para desmantelar a unos traficantes de piel de chihuahua de pelo largo en México. Gracias a la capa, pude salir airoso de una situación muy difícil. Acabábamos de darles un buen merecido a esos bárbaros, cuando el último de ellos empleó una estocada secreta: un cañón neutralizador de superpoderes. El rayo me dio de lleno, y caí hacia las escarpadas laderas de la Sierra Madre oriental, a más de 1 000 kilómetros por hora. Menos mal que, gracias a mi capa, frené el vuelo, de tal forma que Megatón pudo agarrarla en el último segundo. Me alzó y evitó que me rompiera los huesos en las profundidades de la montaña».

1970
Psicodélico

1980
Estilo barroco

1990
Estilo vaquero

2000
Estilo alta tecnología

Atención: un traje mal adaptado puede tener consecuencias terribles. Alejaos de los trajes excesivamente llamativos, muy amplios, demasiado ajustados o demasiado pesados. Pueden ser contraproducentes.

WASP WOMAN

Como de costumbre, el Cotton Club estaba abarrotado. La
bella cantante llenaba la sala con su *swing* excepcional. Algunos
espectadores habían venido del otro extremo del país para escuchar su in-
terpretación de *Cry Me a River* o de *Summertime*. Cantar le despejaba la mente
de las preocupaciones más oscuras. Necesitaba aquellos aplausos y alabanzas, más si
cabe que su caché, para comenzar su verdadera vida o, mejor dicho, su misión en la vida.
Hacía varios años que, después de cada concierto, la hermosa cantante cambiaba su traje de
escena por un traje amarillo y oro y salía a vigilar los bajos fondos de Harlem.

Aquella noche, sin dejar que se le notara, la diva estaba distraída. Ese 12 de junio de 1973 era la fecha de
un triste aniversario, el de la muerte de su padre. Desde su ventana, escuchaba el canto de la noche. No se
oía ni un ruido, ni una lucha. ¿Y si sus intervenciones no fueran en vano después de todo?

Le gustaba Harlem. Allí había dado sus primeros pasos. Le gustaba a pesar de su violencia y de esa intolerancia pri-
maria que la dejó huérfana cuando solo tenía 15 años. Desde entonces, los *flashback* le hacían revivir una escena dolo-
rosa. Extrema. Determinante. Siempre la misma. Ese instante fugaz en el que cinco chicos, con los que se había topado
al salir de un club de jazz, la habían agredido profiriendo insultos racistas por la piel negra de su padre y los ojos rasga-
dos de su madre, que estaba con ellos. Volvía a ver a su padre, que le había gritado que huyera y se había erguido como
un coloso, haciendo barrera con su cuerpo. Ella y su madre habían presenciado petrificadas una verdadera lucha. Cuando
el cuerpo de su padre quedó inerte, los hombres se alejaron, no sin soltar unos cuantos insultos más. Madre e hija se
acercaron, abrazadas. Todavía respiraba. A su alrededor, los coches bloqueaban las puertas con el cerrojo y las miradas
se apartaban. Lo transportaron con gran dificultad al hospital más cercano, pero allí solo aceptaban a los blancos.

En esa noche del 12 de junio, con la mirada ausente, mientras la invadían esos tristes recuerdos, un grito la sacó de
su ensimismamiento. Recobrando la calma y sus superpoderes, Wasp Woman se transportó al lugar de la agresión
en un instante. Dos mujeres jóvenes, cogidas de la mano, estaban rodeadas por cinco hombres ebrios de odio. Los
mismos. Cuando Wasp Woman lanzó el ataque, uno de ellos le apuntó con el puñal al vientre. El puñal se rompió. El
miedo que había sentido en otro tiempo estuvo a punto de volver. Pero habían cambiado las tornas. La superheroína había adquirido una gran fuerza. De un revés, lanzó a su agresor a diez metros. Al ver que otro de los
asaltantes sacaba un arma de fuego, le lanzó su aguijón y, haciendo una ágil pirueta, le asestó una patada al
tercero, que se dobló por la mitad. Los otros salieron huyendo.

Las dos mujeres se quedaron estupefactas, sin encontrar palabras para darle las gracias por su
inesperada ayuda. Wasp, por su parte, notó su corazón más sereno. Qué reconfortante era ese
sentimiento extraño que se apoderaba de ella... Porque, sin duda, gracias a esa cruel
desaparición, había descubierto y desarrollado sus superpoderes. Poderes
que, según creía, le servirían aún durante mucho tiempo.

La responsabilidad supercivil

Todo superhéroe puede causar involuntariamente daño a terceros. La responsabilidad supercivil, tal y como está definida por la ley, genera la obligación de reparar el daño causado.

Algunos extractos de este Código:

Artículo 1902 del Código Supercivil:

«El superhéroe que por acción u omisión causa daño a otro, interviniendo culpa o negligencia, está obligado a reparar el daño causado».

Artículo 1903 del Código Supercivil:

«La obligación que impone el artículo anterior es exigible, no solo por los actos u omisiones del superhéroe, sino por los de aquellas personas de quienes debe responder».

El seguro de responsabilidad supercivil y superdaños y perjuicios tiene por objetivo indemnizar a la víctima o las víctimas en lugar del superhéroe responsable.

A falta de seguro, el superhéroe deberá indemnizar personalmente a la víctima o las víctimas.

«No se hacen tortillas sin romper los huevos».

La intervención de Super-Rino para detener a la banda de las Sanguijuelas Céfalas ha dado mucho de qué hablar. Tras su gloriosa hazaña, el superhéroe ha dejado a su paso un rascacielos derrumbado, cientos de coches volcados, un metro descarrilado y tuberías de agua destrozadas en todas las calles. Según las compañías de seguros, los daños ascienden a varios miles de millones de dólares. El alcalde de la ciudad afirma haber presentado una demanda contra el superhéroe y le exige que pague la costosa factura. Al parecer, Super-Rino ha respondido que esperaba encontrar un superbanco que le conceda un crédito a quinientos veintitrés años para devolver esa cantidad.

BAKU

EL BIEN o EL MAL, UN DILEMA CORNELIANO

Mientras su madre plegaba los tres futones, Ryoko permanecía sentada en el tatami al estilo *seiza*. Miraba pensativa cómo el *shishi-odoshi* del estanque se volcaba, se vaciaba y se volvía a llenar de agua. Esa noche, había tomado una decisión que marcaría el resto de su vida.

La niña, que tenía diez años, se había acostado con el corazón lleno de cólera. Habían vuelto a desvelarla las respiraciones de sus hermanos pequeños, que dormían a su lado. En ese momento, incluso los odiaba. Le habría gustado que no hubieran nacido, para seguir siendo hija única. Su vida era mucho más fácil antes. Ahora, siempre la culpaban de todo.

Ryoko sabía que tenía el superpoder de cambiar eso. Varios meses atrás, se había dado cuenta de que podía inmiscuirse en los sueños de los demás. Lo había hecho con sus padres, con sus hermanos y con su amiga Setsuko. Sabía influir en sus sueños, hacer que fueran dulces o transformarlos en pesadillas. La pequeña se alimentaba de ellos, y por la mañana tenía la sensación de ser aún más fuerte. Tiempo atrás, su padre le había explicado que, a veces, los sueños podían causar la locura, incluso la muerte.

Aquella noche, Ryoko había concebido un sueño en el que se había reunido con sus hermanos. Habían caminado juntos, cogidos de la mano, en una verde pradera. A su alrededor, los cervatillos pastaban tranquilamente y levantaban la cabeza de vez en cuando. Una brisa suave les acariciaba el pelo. Hacía una cálida temperatura, y el sol besaba sus rostros. El horizonte estaba despejado. Ryoko había aparecido a su lado y ellos le habían sonreído. Todo parecía muy apacible. Habían llegado a un molino, cuya rueda se movía por la fuerza de un arroyo.

—Allí dentro está mamá —les había susurrado su hermana mayor. Ryoko sabía que no era verdad; se lo había imaginado ella. El molino solo era un abismo hacia las tinieblas, una pesadilla tan profunda que resultaba imposible volver de allí—. En cuanto abra la puerta, corréis a abrazarla, ¿de acuerdo? —había seguido diciendo. Los niños habían asentido.

El porche del molino había crujido bajo sus pies. Ryoko había mirado a su hermano, que se había pegado a ella. Su hermana, llevada por la curiosidad, se había puesto de puntillas y, por la ventana, había observado el interior. Estaba oscuro. Los dos niños tenían miedo y no habían querido entrar. A Ryoko se le había acelerado el corazón y tenía el estómago crispado. Con una mano temblorosa, había sujetado la empuñadura y la había girado a la derecha. El cerrojo de la puerta se había corrido. Los cervatillos habían huido y la brisa había dado paso a un fuerte viento. Ryoko había acariciado la mejilla húmeda de su hermana y le había dado un beso en la frente a su hermano. Los había sujetado por los hombros y los había invitado a entrar en el molino. La apertura succionaba el aire como un sifón que aspira el agua. Ryoko había llorado igual que ellos. Se habían resistido... ¡Ella los había empujado! Al despertar, mientras contemplaba cómo soñaban tranquilamente a su lado, Ryoko había confirmado su decisión. En el sueño, tras cambiar de opinión en el último minuto, había convertido el suelo del molino en un colchón de flores de jazmín, en el que también ella se había dejado caer. Los tres habían retozado en el fino aroma, entre carcajadas de alivio.

Esa noche, Ryoko supo cuál sería el sentido de su vida. Llegó a ser una famosa experta en onirología, que ejercía su oficio durante el día, y por la noche era Baku, la superheroína que volaba entre sueños y pesadillas, devorando las visiones de horror y aniquilando sus malos presagios. Salvando las noches de los durmientes...

SUPERVILLAINS

Conocer al enemigo: el supervillano.

Es el antisuperhéroe por definición. Utiliza sus superpoderes en su propio beneficio.
Aunque algunos se limitan a cometer robos, la mayoría de los supervillanos tienen sed de poder y aspiran a controlar el mundo. Ya se sabe cómo son; más vale prepararse para recibir golpes y devolverlos.
¿Cómo se reconoce a un supervillano?
No es fácil. Puede ocultarse tras un rostro simpático. Solo sus actos permitirán identificarlo como tal.

BARÓN BARITÓN

MANTA

ESPONJA

VERDADERA IDENTIDAD: Desconocida.

PODER: Posee unas cuerdas vocales superdesarrolladas, capaces de generar ondas sonoras que pueden disgregar los hormigones y los cristales más resistentes.

PALMARÉS: 23 atracos a mano armada, con un total de 1 340 millones de euros robados. Actualmente está en una celda fónica en la cárcel de Bang Bang.

VERDADERA IDENTIDAD: Desconocida.

PODER: Posee unos antebrazos afilados como cuchillas y una visión aumentada.

PALMARÉS: 33 sospechas de asesinato por encargo.

En paradero desconocido.

VERDADERA IDENTIDAD: Desconocida.

PODER: Absorbe los superpoderes mediante el contacto directo.

PALMARÉS: 13 superhéroes fuera de juego.

Integrado en el quipo B.A.S.E.

Los supervillanos también se organizan en equipo para resultar más temibles.
Algunos equipos son tristemente famosos.

Por ejemplo, B.A.S.E. recluta y adoctrina supervillanos desde la infancia, en cuanto los superpoderes afloran y los temores todavía asedian. Su objetivo es dominar el planeta.

La Academia Dólares es otro equipo temible. Está formada por la flor y nata de los supervillanos, que suelen ser mercenarios cuidadosamente seleccionados. Solo actúan movidos por la codicia, causando estragos a los gobiernos y prestando sus servicios a los mejores postores.

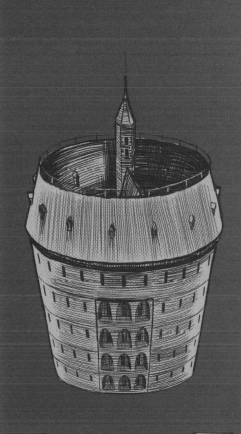

ATOMOR

ZOO

BANG BANG

VERDADERA IDENTIDAD: Desconocida.

PODER: Controla y manipula los átomos a su conveniencia.

PALMARÉS: 3 ciudades borradas del mapa y más de 100 000 millones de euros de material militar destruidos (aviones, submarinos, naves de combate, etc.).

En la actualidad se encuentra fuera de la Tierra.

VERDADERA IDENTIDAD: Desconocida.

PODER: Polimorfismo animal.

PALMARÉS: 55 actos de barbarie.

Actualmente está en una celda sin aperturas en la cárcel de Bang Bang.

Algunos supervillanos son tan poderosos que los gobiernos se unieron en 1967 para construir una prisión a su medida. Cada celda está adaptada al superpoder del detenido.

Bang Bang se considera inviolable: es una cárcel de la que jamás se ha evadido ningún supervillano. Nadie conoce su ubicación.

Barón Baritón

Yo era solo un adolescente cuando me encontré frente a frente con quien, años más tarde, se convertiría en el Barón Baritón.

Julio —así se llamaba— era el terror del colegio, del que todos, hasta los más gallitos, huían. No era ni más alto ni más fuerte que los demás; pero los que se habían enfrentado a él habían tenido una mala experiencia. En esa época, ni siquiera me imaginaba que los superpoderes existieran realmente, y pensaba que lo que le daba tanto miedo a todo el mundo eran sus puños. ¡Qué equivocado estaba! El día que se metió conmigo comprendí la gravedad del asunto.

En una ocasión en que volvía algo tarde de un entrenamiento de voleibol (deporte que se me daba muy bien, seguramente gracias a mis propios superpoderes, que se iban manifestando poco a poco), me crucé con Julio, que salía de un callejón y caminaba con la cabeza agachada, contando con avidez las pocas monedas que tenía en la mano. Me asusté y traté de desviarme, pero tropecé con una lata de refresco que salió rodando, y rodó y rodó, hasta chocar con el pie de aquel diablo. Cuando Julio levantó la vista, maldije al papanatas que había dejado la lata ahí tirada. Antes incluso de que mis piernas se pusieran en movimiento, me llegó el olor a suciedad que emanaba Julio. Sin tiempo para gritar «¡Socorro!», ya estaba ahí, a mi lado. Puse los puños en guardia, creyendo que mi adversario me lanzaría un gancho. Pero el ataque salió de su boca. Julio emitió un grito tan estridente que, en un segundo, caí al suelo, inconsciente.

Al despertar, mis bolsillos estaban tan vacíos como la calle. Al fondo del callejón zigzagueaba una silueta solitaria. Justo antes que yo, uno de mis amigos había sido víctima de las supercuerdas vocales: seguía aturdido y le estaba costando mucho recuperarse. Fuimos juntos de vuelta a su casa y le prometí que no me separaría de Julio ni a sol ni a sombra.

¡Decidido y equipado! Armado con tapones en las orejas, me puse a perseguirlo a una distancia razonable, noche y día. Todavía me deparaba algunas sorpresas. Por el día, Julio perpetraba sus miserables fechorías y, por la noche, volvía a un tugurio sucio y viejo en el que vivía con su madre. Yo los observaba agazapado en un seto del jardín: ella no paraba de gritarle y él permanecía callado.

Pero, una noche, cayó la gota que colmó el vaso. Oí a Julio proferir unos chillidos más agudos que los de la Castañore. Los cristales y la puerta saltaron en mil pedazos, y Julio desapareció en la noche. Una vez en la calle y consciente de sus dones, empezó a cometer fechorías más audaces. Vi cómo se metía en las casas de la gente y salía de ellas con los bolsillos llenos de dinero y joyas. Así empezó su carrera de supervillano.

Mis padres, temerosos por la inseguridad que reinaba en las calles, me pusieron un guardaespaldas. Como ya no podía perseguirlo, empecé a leer los periódicos. Julio firmaba sus delitos con el pseudónimo de Barón Baritón. Se había fabricado un traje de color rojo y oro y ya nunca se lo quitaba. Sus cuerdas vocales estaban en pleno crecimiento y ahora conseguían derribar los muros más sólidos. Los blindajes de los camiones de transporte de dinero ya no se le resistían, y las cajas fuertes de los bancos se abrían con la facilidad de una cáscara de huevo.

Enseguida se marchó de nuestra ciudad rumbo hacia megalópolis más ambiciosas. Sin cambiar jamás de método, entraba en las cajas fuertes, arramblaba con su contenido y paralizaba la ciudad con un grito prolongado y aterrador. La policía ya no podía comunicarse, los automovilistas, perdidos, bloqueaban la circulación, y los vuelos de los helicópteros se suspendían por razones de seguridad. Así, el Barón podía marcharse volando tranquilamente. Cuando por fin estuve preparado, pude medirme con él y pararle los pies. Hoy el Barón disfruta de su alojamiento en una celda fónica hecha a su medida en la cárcel de Bang Bang.

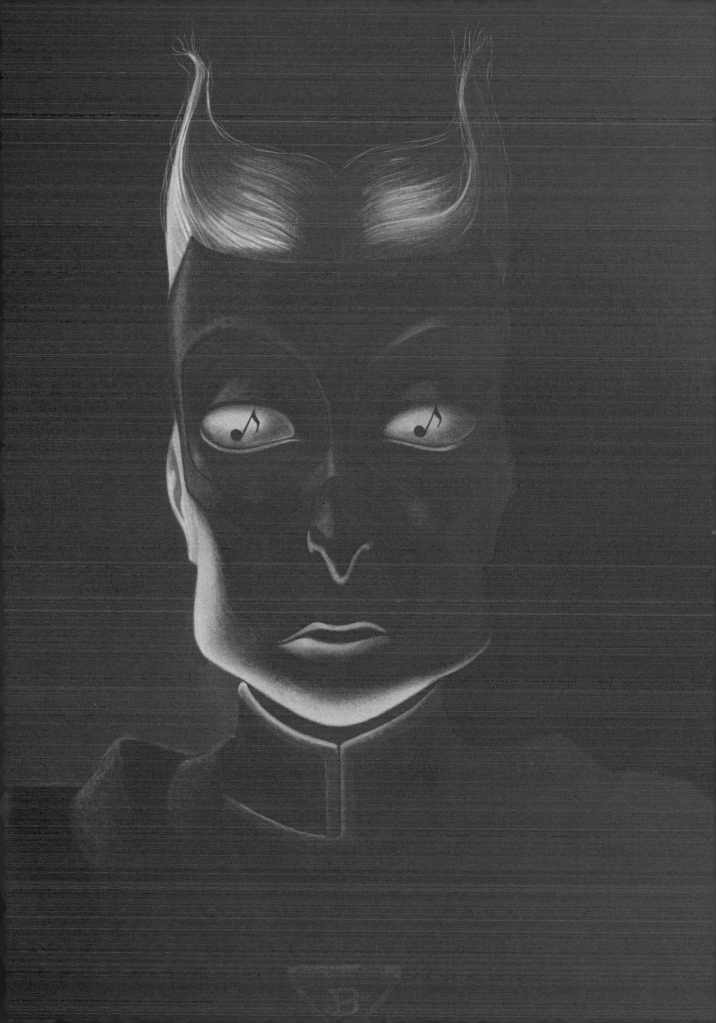

SUPER ÍNDICE

El superíndice de este libro os permitirá encontrar a la velocidad del rayo el tema que os interese:

SUPERÍNDICE ALFABÉTICO

¿Os apasiona algún superhéroe en particular? Este superíndice alfabético os teletransportará hasta él:

A todos los héroes, grandes o pequeños, y a todos aquellos que alguna vez se han sentido oprimidos.

A mis propios héroes, que me han ayudado cada día.

A Olivier y Laurent Souillé, dos superhéroes que nunca han tirado la toalla.

Por último, a Marion Jablonski y Françoise Mateu, superheroínas sin las cuales este proyecto nunca habría existido.

Benjamin Lacombe

A mi hermano, Olivier. En este libro tal vez encontrarás algunos superhéroes que imaginábamos cuando éramos pequeños.

Al superhéroe que cada uno de nosotros lleva dentro.

Gracias a Benjamin por haberme acompañado en esta superaventura. Sin ti, nunca habría visto la luz...

Sébastien Perez

Traducido por Elena Gallo Krahe
Diseño gráfico y maquetación: Benjamin Lacombe

Título original: Les *Super Heros Détestent Les Artichauts*
© Albin Michel Jeunesse, 2014
© De esta edición: Grupo Editorial Luis Vives, 2015

ISBN: 978-84-263-9388-3
Depósito legal: Z 1803-2014

Impreso en China.